SHAPES

KB132450

매스티안

팩토슐레 Math Lv. ❶ 교재 소개

" 우리 아이 첫 수학도 창의력을 키우는 **FACTO**와 함께! "

● **팩토슐레**는 처음 수학을 시작하는 유아를 위한 창의사고력 전문 프로그램입니다.

● **팩토슐레**는 만들기, 게임, 색칠하기, 붙임딱지 붙이기 등의 다양한 수학 활동을 하면서 스스로 수학 개념을 알 수 있도록 구성하였습니다.

수 (NUMBERS)	도형 (SHAPES)

측정 (MEASUREMENT)	**규칙 (PATTERNS)**

연산 (OPERATIONS)	**문제해결력 (PROBLEM SOLVING)**

※ 팩토슐레는 6권으로 구성되어 있으며, 각 권에는 30가지의 재미있는 활동이 수록되어 있습니다.

누리과정

팩토슐레는 누리과정 · 초등수학과정을 연계하여 수학의 5대 영역 (수와 연산, 공간과 도형, 측정, 규칙, 문제해결력)을 균형 있게 학습할 수 있도록 하였습니다.
특히 가장 중요한 수와 연산은 각 권으로 구성하여 깊이 있는 학습이 가능하도록 하였습니다.

STEAM PLAY MATH

팩토슐레는 4, 5, 6세 연령별로 학습할 수 있도록 설계한 놀이 수학입니다.
매일매일 놀이하듯 자르고, 붙이고, 색칠하는 30가지의 재미있는 활동을 통해 창의사고력을 기를 수 있습니다.

동화책풍의 친근한 그림

팩토슐레는 동화책풍의 그림들을 수록하여 아이들이 수학을 더욱 친근하게 느끼며 좋아할 수 있도록 하였습니다. 또한 한글을 최소화하고 학습 내용을 직관적으로 이해할 수 있도록 하였습니다.

팩토슐레 Math Lv. ❶ 교구·App 소개

" 수학 교육 분야 증강현실(AR)과 사물인식(OR) 기술을 국내 최초 도입 "

교구를 활용한 App 학습 프로세스

① 거치대와 반사경 설치 → ② App 실행 → ③ 교구로 문제 해결 → ④ 사물인식 기술을 활용하여 교구 인식 → ⑤ 정답과 오답 체크

자기주도학습 팩토슐레 App만의 장점

팩토슐레 App은 사물인식(OR) 기술을 사용하여 아이들의 학습 정보를 습득한 후, App에 프로그래밍된 학습도우미를 통하여 아이들이 문제 푸는 것을 힘들어하거나 틀릴 경우에는 힌트를 제공합니다.
이와 같은 방식의 스마트기기와의 상호작용은 학습의 효율을 높이고 자기주도학습 능력을 길러 줍니다.

완벽한 학습 설계 App 다른 교육 App과의 차별점

팩토슐레 App은 수학 교육 목표에 맞게 완벽한 학습 설계가 되어 있습니다. 아이들은 게임 기반의 학습 App을 진행하면서 어려운 문제도 술술 풀 수 있습니다.

증강현실(AR) 기술 도입

팩토슐레 App은 아이들이 캐릭터와 사진도 찍고, 자신이 그린 그림으로 자기만의 쿠키도 만들면서 학습 몰입도를 높일 수 있습니다.

01 자동차들이 씽씽 달리고 있어요. 자세히 보니 여러 가지 모양으로 만들어진 자동차들이네요. 모양 조각을 붙여 **자동차를 완성**해 보세요. 붙임딱지 ❶

붙임딱지 붙이는 곳

붙임딱지 붙이는 곳

붙임딱지 붙이는 곳

02 토끼가 용왕님을 만나러 거북이와 함께 용궁에 가고 있어요. 그런데 왼쪽과 오른쪽 그림에 서로 다른 곳이 있네요. 그림을 잘 관찰하여 **다른 부분 5곳**을 찾아보세요.

03 친구들이 공원에서 꽃을 관찰하고 있어요. 예쁜 꽃을 크게 보고 싶어서 돋보기로 가까이 들여다 보고 있네요. **친구들이 관찰하는 꽃은 어떤 꽃인지 알아볼까요?** 활동지 ①

활동지
붙이는 곳

활동지
붙이는 곳

활동지
붙이는 곳

요리사가 맛있는 쿠키를 만들었어요. 그런데 자세히 보니 쿠키마다 모양이 다른 것이 하나씩 들어 있네요.
모양이 다른 쿠키를 찾아보세요.

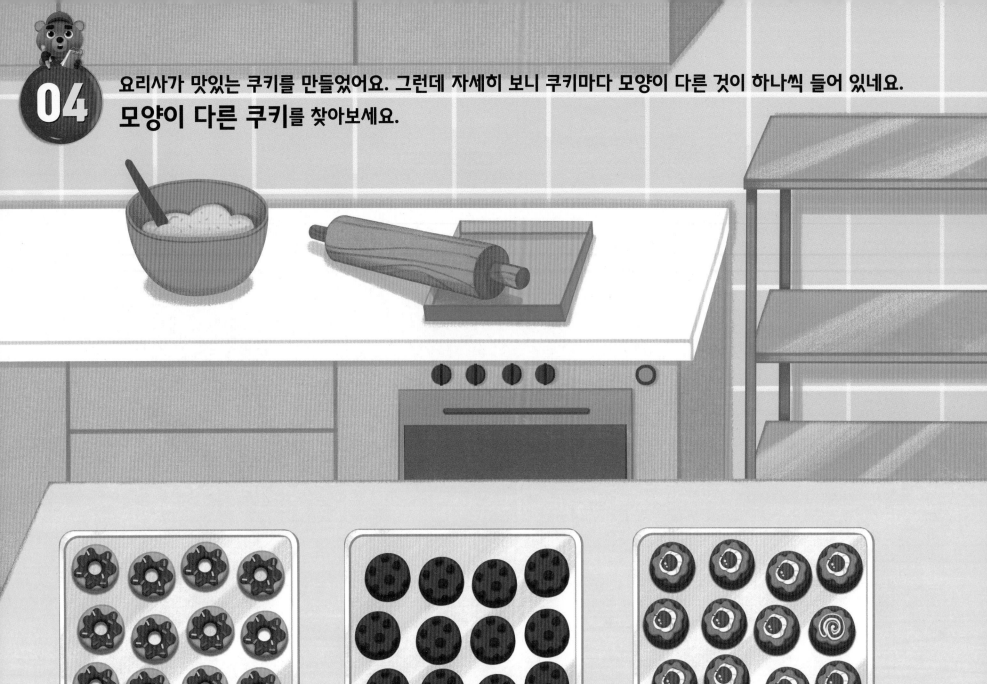

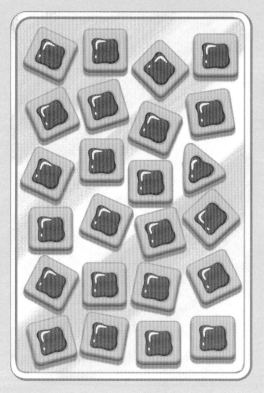

특징을 관찰하여 모양이 다른 하나를 찾는 활동을 통해 관찰력을 기를 수 있습니다.

05 바닷속에는 여러 친구들이 살고 있어요. 물고기, 불가사리, 오징어, 문어, 게도 보이네요.
모양 조각을 붙여 바닷속 풍경을 멋지게 꾸며 보세요. 붙임딱지 ❶

붙임딱지
붙이는 곳

붙임딱지
붙이는 곳

붙임딱지
붙이는 곳

붙임딱지
붙이는 곳

붙임딱지
붙이는 곳

붙임딱지
붙이는 곳

붙임딱지
붙이는 곳

붙임딱지
붙이는 곳

붙임딱지
붙이는 곳

붙임딱지 붙이는 곳

붙임딱지
붙이는 곳

다양한 도형을 이용하여 바닷속 친구들을 완성하는 활동을 통해 공간 지각 능력을 기를 수 있습니다.

그림자 연극이 시작되려고 해요. 커튼 뒤로 여러 가지 그림자가 보이네요.
어떤 것의 그림자인지 이야기해 보세요.

너구리 가족이 이사한 새 집을 꾸미고 있어요. 방 안 곳곳에 예쁜 무늬들이 보이네요.
빠진 곳에 알맞은 조각을 붙여 무늬를 완성해 보세요. 활동지 **1**

활동지
붙이는 곳

활동지
붙이는 곳

활동지
붙이는 곳

엄마는
선생님!

무늬의 특징을 보고 알맞은 그림을 찾는 활동을 통해 관찰력을 기를 수 있습니다.

친구들이 눈썰매장에서 신나게 놀고 있어요. 그런데 친구들 주변에 그림이 숨어 있네요.
숨은 그림을 찾아볼까요?

숨은 그림

숨어 있는 그림의 색깔, 모양을 보고 숨어 있는 위치를 추론하는 능력을 기를 수 있습니다.

들판을 여러 가지 모양들로 꾸미려고 해요. 언덕 위에 집도 보이고, 꽃밭에는 나비가 날아다니네요.
모양 조각을 붙여 멋지게 들판을 꾸며 보세요. 활동지 ❷

도형들 간의 위치 관계를 파악하여 모양을 완성하는 활동을 통해 공간 지각 능력을 기를 수 있습니다.

캄캄한 밤이에요. 그림자를 보고 방 안의 친구들이 무엇을 하고 있는지 이야기해 보세요.
또 여러 가지 **물건들의 그림자**를 찾아보세요.

여러 가지 물건의 생김새에서 뚜렷이 구별되는 특징을 찾아 그림자를 대응시키는 활동을 통해 추론 능력을 기를 수 있습니다.

11 친구들이 네모와 세모 모양 조각을 이용하여 여러 가지 모양을 만들려고 해요. 그런데 어떻게 해야 할지 조금 어려워하고 있네요. 친구들을 도와서 **모양 만들기**를 해 볼까요? 활동지 **3**

활동지
붙이는 곳

활동지
붙이는 곳

친구들이 놀이터에서 즐겁게 놀고 있어요. 그런데 왼쪽과 오른쪽 그림에 서로 다른 곳이 있네요.
그림을 잘 관찰하여 **다른 부분 5곳**을 찾아보세요.

13 햇빛이 밝게 비치는 날에 친구들이 동산에 올라 즐겁게 춤을 추고 있어요.
그림자를 보고 어떤 친구들이 놀러 왔는지 이야기해 보세요. 활동지 4

동물
붙이는 곳

동물
붙이는 곳

동물
붙이는 곳

동물
붙이는 곳

동물
붙이는 곳

친구들이 각자 좋아하는 장난감을 골랐어요. 그런데 손에 들고 있는 것과 똑같은 장난감이 돗자리 위에도 있네요. 친구들이 들고 있는 것과 **같은 장난감**을 찾아볼까요?

주어진 그림의 특징을 찾아 같은 그림을 찾는 활동을 통해 정보 처리 능력을 기를 수 있습니다.

15

친구들이 모양 조각을 이용하여 여러 가지 재미있는 모양을 만들려고 해요.
친구들이 생각하는 모양은 무엇인지 이야기해 보고, 똑같이 만들어 보세요.

Let's study! 활동지 ❺

❶ 동물 친구들이 생각하는 모양이 무엇인지 이야기해 봅니다.

❷ 활동지에 있는 모양 조각을 관찰하여 친구들이 생각하는 모양을 완성해 봅니다.

❸ 모양 조각을 이용하여 여러 가지 재미있는 모양을 스스로 만들어 봅니다.

16 동물 나라에 축제가 열렸어요. 장기자랑을 하려고 많은 친구들이 모였네요. **빠진 곳에 알맞은 조각을 붙여** 그림을 완성해 보세요. 활동지 ④

활동지
붙이는 곳

활동지
붙이는 곳

활동지
붙이는 곳

활동지
붙이는 곳

활동지
붙이는 곳

활동지
붙이는 곳

전체와 부분의 특징을 관찰하여 알맞은 그림을 찾는 활동을 통해 관찰력을 기를 수 있습니다.

17 친구들이 새 집으로 이사를 가는 날이에요. 이사를 마치면 각자 **모양에 맞는** 문을 달기로 했어요. 어떤 문이 완성될지 **조각을 붙여** 알아볼까요? 활동지 **6**

활동지
붙이는 곳

활동지
붙이는 곳

활동지
붙이는 곳

활동지
붙이는 곳

엄마는 선생님! 조각의 특징을 관찰하여 전체 모양을 완성하는 활동을 통해 추론 능력을 기를 수 있습니다.

여러 가지 동물 그림이 벽에 걸려 있어요. 코끼리와 너구리가 어떤 동물인지 이야기를 하고 있네요.
그림자 조각들을 알맞게 놓아 **동물들의 그림자를** 찾아볼까요?

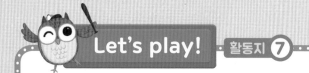

❶ 다음과 같이 그림자 카드 20장을 준비합니다.

게임에 사용할 카드

악어　거북　범고래　사자　코끼리

타조　홍학　거위　기린　침팬지

❷ 카드를 섞은 후 4장을 바닥에 펼치고, 남은 카드는 한쪽에 쌓아 놓습니다.

❸ 아이부터 시작하여 서로 번갈아 가며 더미의 카드 1장을 뒤집습니다.

3-1 짝꿍 카드가 있는 경우

뒤집은 카드와 바닥의 카드의 그림자를 모아 그림이 완성되면 그 카드 2장을 가져갑니다.

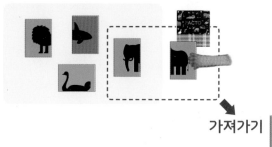

가져가기

3-2 짝꿍 카드가 없는 경우

카드를 모아 그림을 완성할 수 없으면 뒤집은 카드를 바닥에 내려놓습니다.

내려놓기

❹ 카드를 더 많이 모은 사람이 이깁니다.

이겼다!

엄마는 선생님! 동물들의 생김새에서 뚜렷이 구별되는 특징을 찾아 그림자를 대응시키는 활동을 통해 추론 능력을 기를 수 있습니다.

친구들이 수족관에 갔어요. 예쁜 물고기들을 보며 사진을 찍고 있네요. 친구들이 찍고 있는 곳은 어느 부분인지 찾아 이야기해 보세요.

20 친구들이 놀이공원에 왔어요. 재미있는 놀이기구들이 많이 있네요. 모양 조각을 붙여 **놀이기구를 멋지게 완성**해 보세요. 활동지 6

활동지 붙이는 곳

활동지 붙이는 곳

활동지 붙이는 곳

활동지 붙이는 곳

활동지
붙이는 곳

활동지
붙이는 곳

활동지
붙이는 곳

활동지
붙이는 곳

엄마는
선생님! 도형을 이용하여 여러 가지 모양을 구성하는 활동을 통해 공간 지각 능력을 기를 수 있습니다.

즐거운 간식 시간이에요. 같은 색의 식판에는 똑같은 간식이 담겨 있어요.
비어 있는 곳에 알맞은 간식을 붙여 보세요. 붙임딱지 ❶

22 신발이 어지럽게 섞여 있네요. 너구리와 코끼리가 신발을 정리하려고 해요.
그런데 **짝이 없는 신발**이 2개 있어요. 어느 것인지 찾아보세요.

여러 가지 신발의 특징을 관찰하여 같은 것들을 짝지어 보는 활동을 통해 정보 처리 능력을 기를 수 있습니다.

친구들이 모양 주사위를 가지고 재미있는 놀이를 하려고 해요. 그런데 주사위의 한쪽 면이 지워져서 보이지 않네요. **빈 곳에는 어떤 모양**이 들어가야 할까요? 활동지 **5**

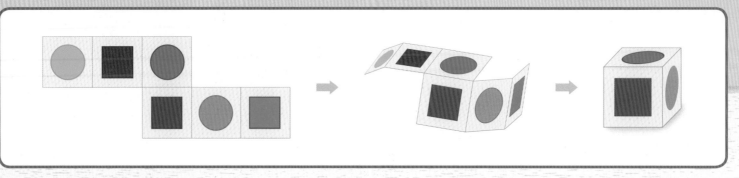

정육면체를 다양한 방향에서 바라보며 각 면의 모양을 관찰하는 활동을 통해 공간 감각을 기를 수 있습니다.

24 숲속에 울긋불긋 단풍이 물들었어요. 그런데 바람이 불어서 나뭇잎이 떨어졌네요.
땅에 떨어진 나뭇잎들을 보고 **어떤 순서로 겹쳐 있는지** 알아보세요.

Let's study! 활동지 **7**

❶ 나뭇잎 활동지를 준비합니다.

[앞면]

[뒷면]

❷ 활동지를 돌려가며 똑같은 모양이 되도록
나뭇잎을 순서대로 겹칩니다.

초록색 잎이 가려져 있네.
초록색이 더 아래에 있어!

나뭇잎이 겹쳐진 모습을 관찰하여 알맞은 순서로 나뭇잎을 놓는 활동을 통해 공간 지각 능력을 기를 수 있습니다.

방이 너무 어질러져 있어서 엄마가 속상하신가 봐요. 그런데 왼쪽과 오른쪽 그림에 서로 다른 곳이 있네요. 그림을 잘 관찰하여 **다른 부분 5곳**을 찾아보세요.

엄마는 선생님!
그림을 주의 깊게 관찰하며 다른 부분을 찾는 활동을 통해 분석력을 기를 수 있습니다.

26 동물 마을에 새로운 건물들이 지어졌어요. 친구들이 마을을 돌아다니며 건물을 구경하고 있네요.
블록으로 마을에 있는 **건물 모양을 똑같이** 만들어 보세요. 활동지 ⑧

친구들이 풀장에서 신나게 물놀이를 하고 있어요. 그런데 친구들 주변에 그림이 숨어 있네요.
숨은 그림을 찾아볼까요?

숨은 그림

숨어 있는 그림의 색깔, 모양을 보고 숨어 있는 위치를 추론하는 능력을 기를 수 있습니다.

친구들이 블록 놀이를 하고 있어요. 각자 다른 모양을 만들어 즐겁게 이야기를 나누고 있네요.

5개의 블록을 모두 사용하여 친구들과 **똑같이** 만들어 보세요. 활동지 **8**

블록으로 똑같은 입체를 만들면서 보이지 않는 블록의 위치를 추론하는 활동을 통해 분석력을 기를 수 있습니다.

29 친구들이 동굴을 탐험하다가 세모와 네모 모양으로 구멍이 뚫린 항아리를 발견했어요.
모양 조각을 붙여 **세모와 네모**를 만들어 보세요. 활동지 ⑨

활동지
붙이는 곳

활동지
붙이는 곳

활동지
붙이는 곳

활동지
붙이는 곳

활동지
붙이는 곳

활동지
붙이는 곳

30 여러 가지 모양들로 이루어진 모양 나라예요. 세모와 네모로 나무와 집을 만들고, 동그라미와 네모로 공룡도 만들었네요. 빈 곳에 모양 조각들을 붙여 **나만의 모양 나라**를 꾸며 보세요. 활동지 ⑥ ⑨

여러 가지 모양과 크기의 도형을 이용하여 새로운 모양을 자유롭게 만드는 활동을 통해 창의력을 기를 수 있습니다.

MEMO

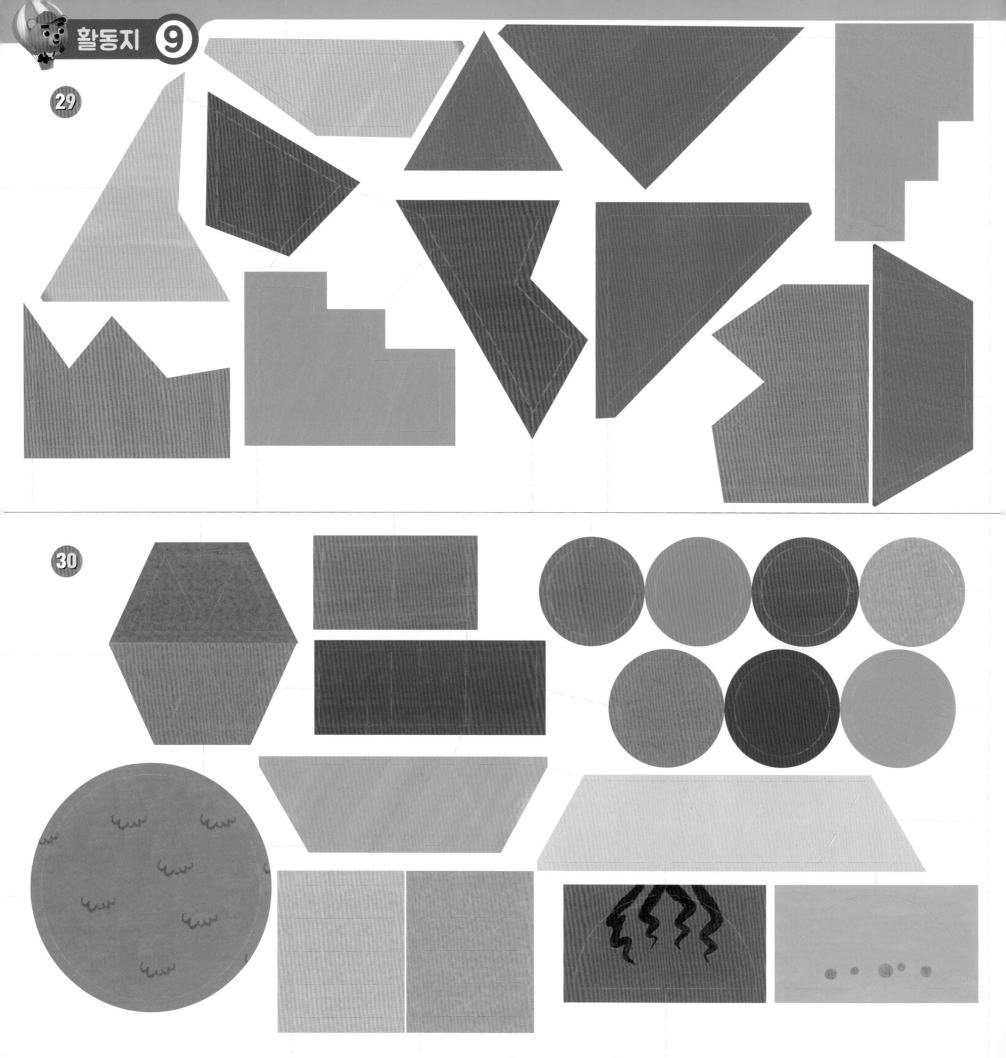

26 28

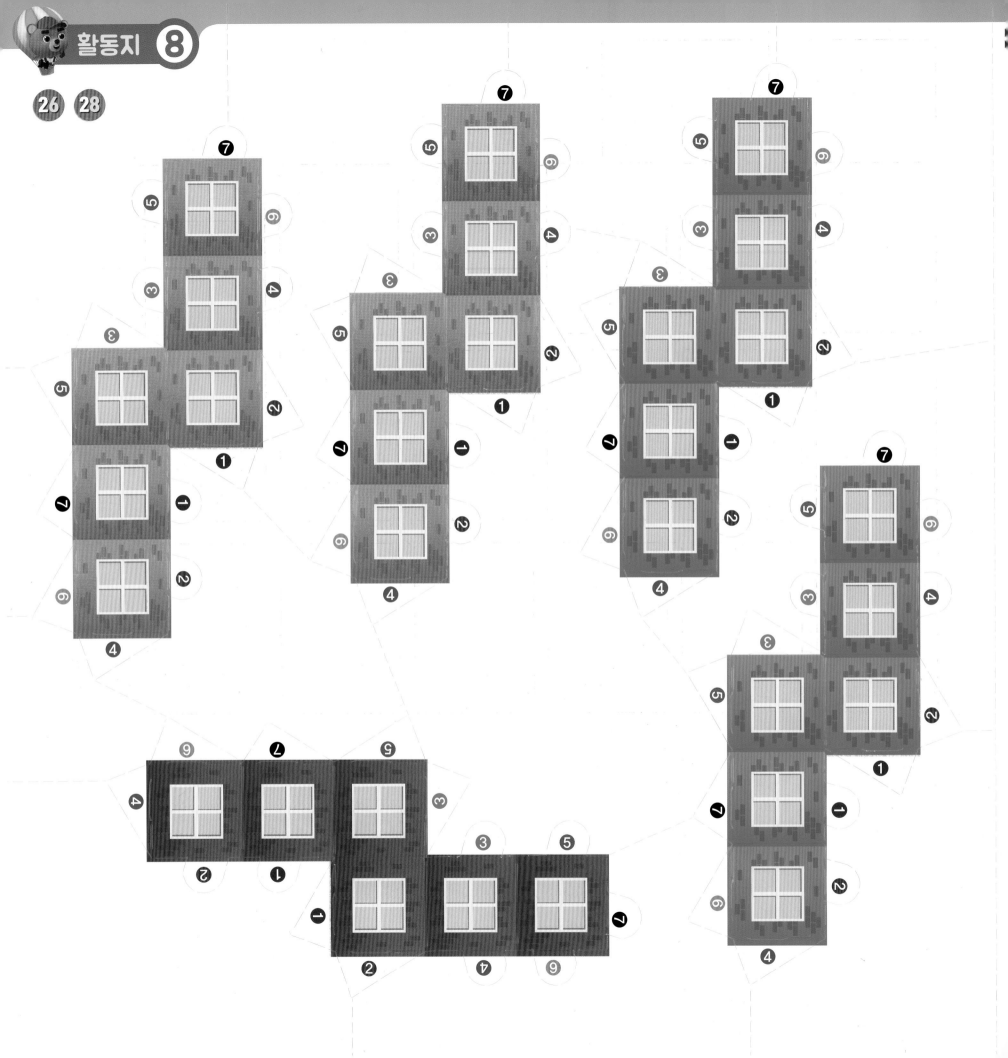

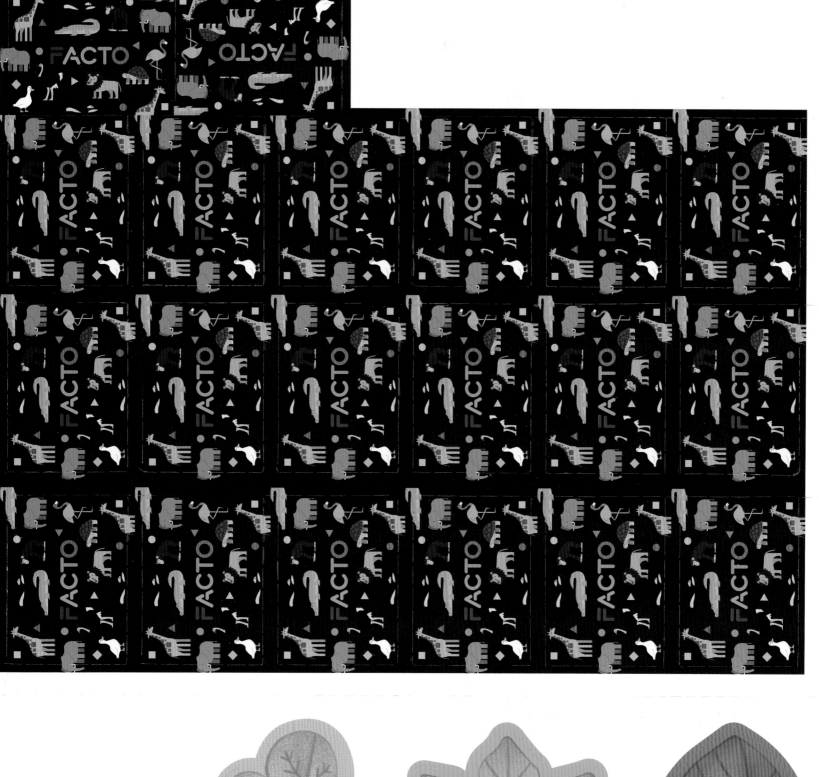

18

24

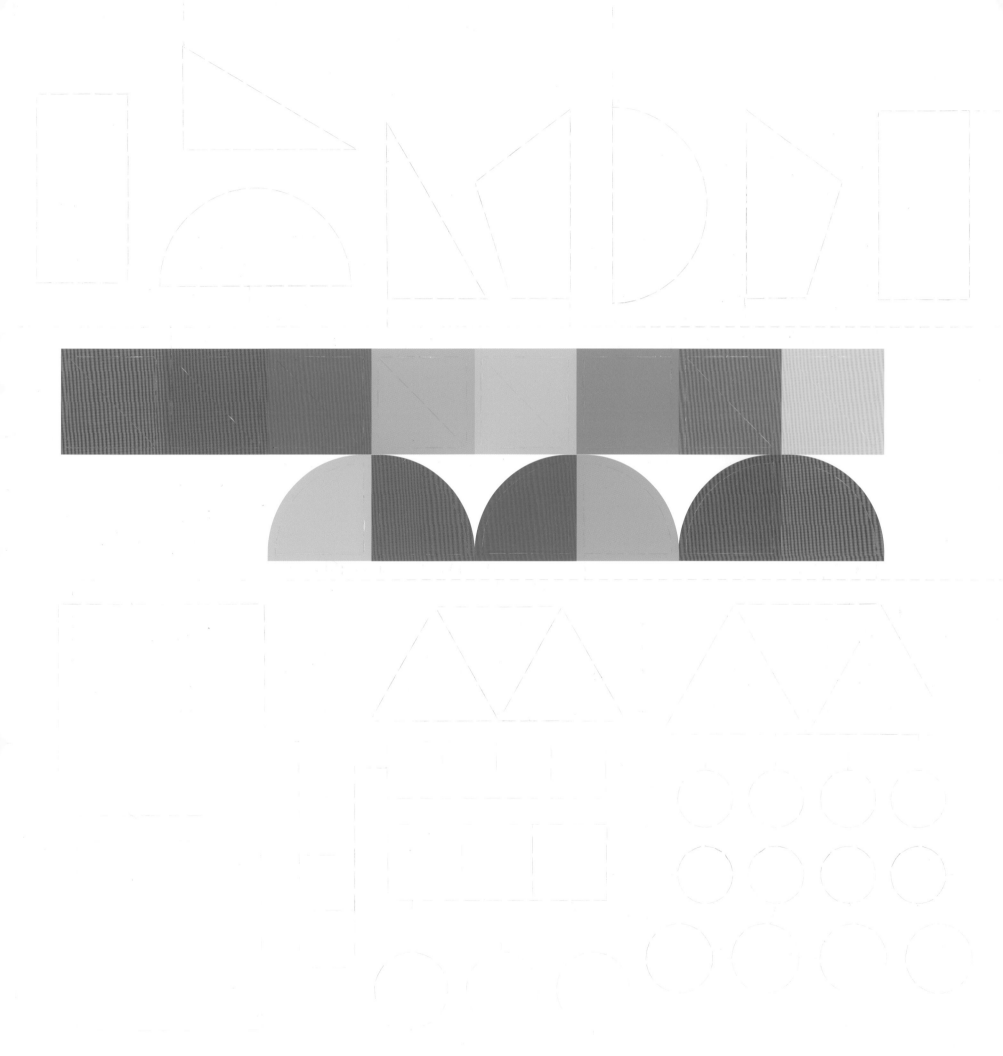

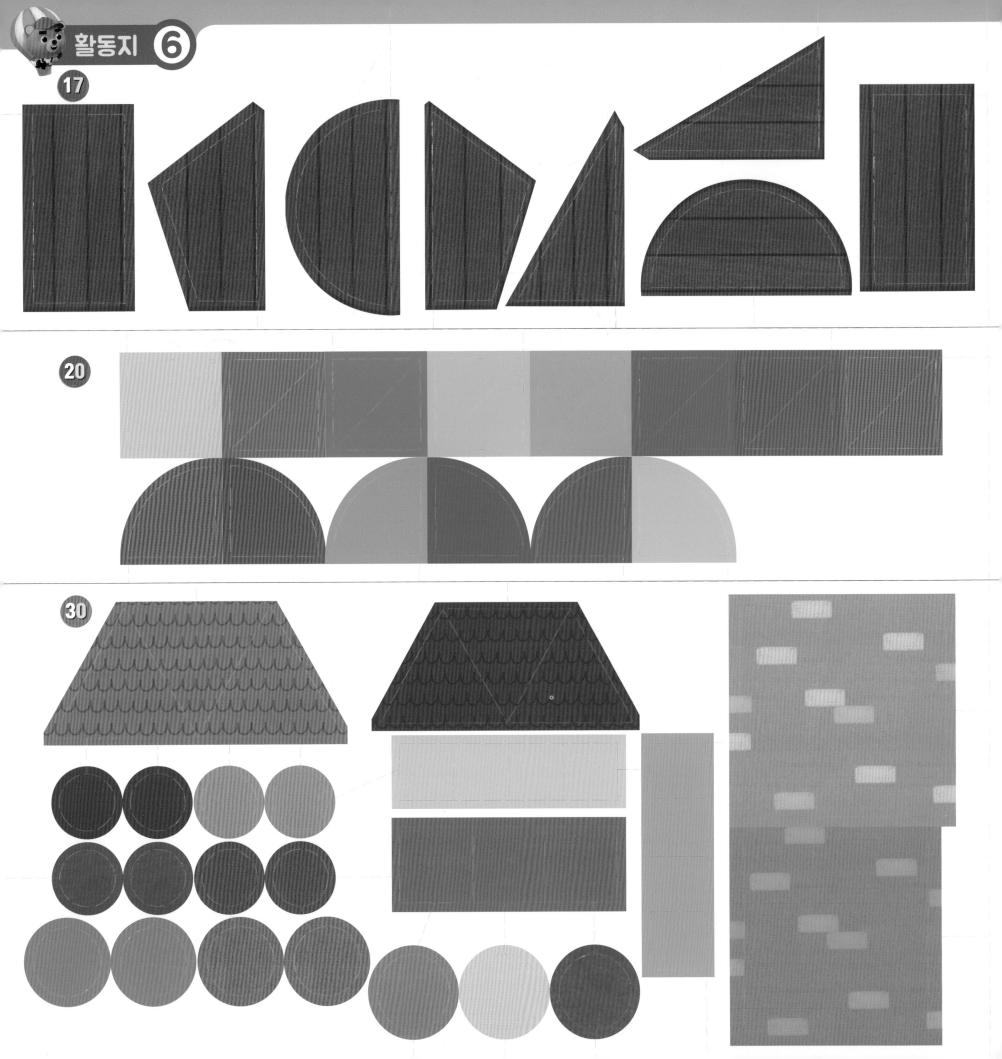

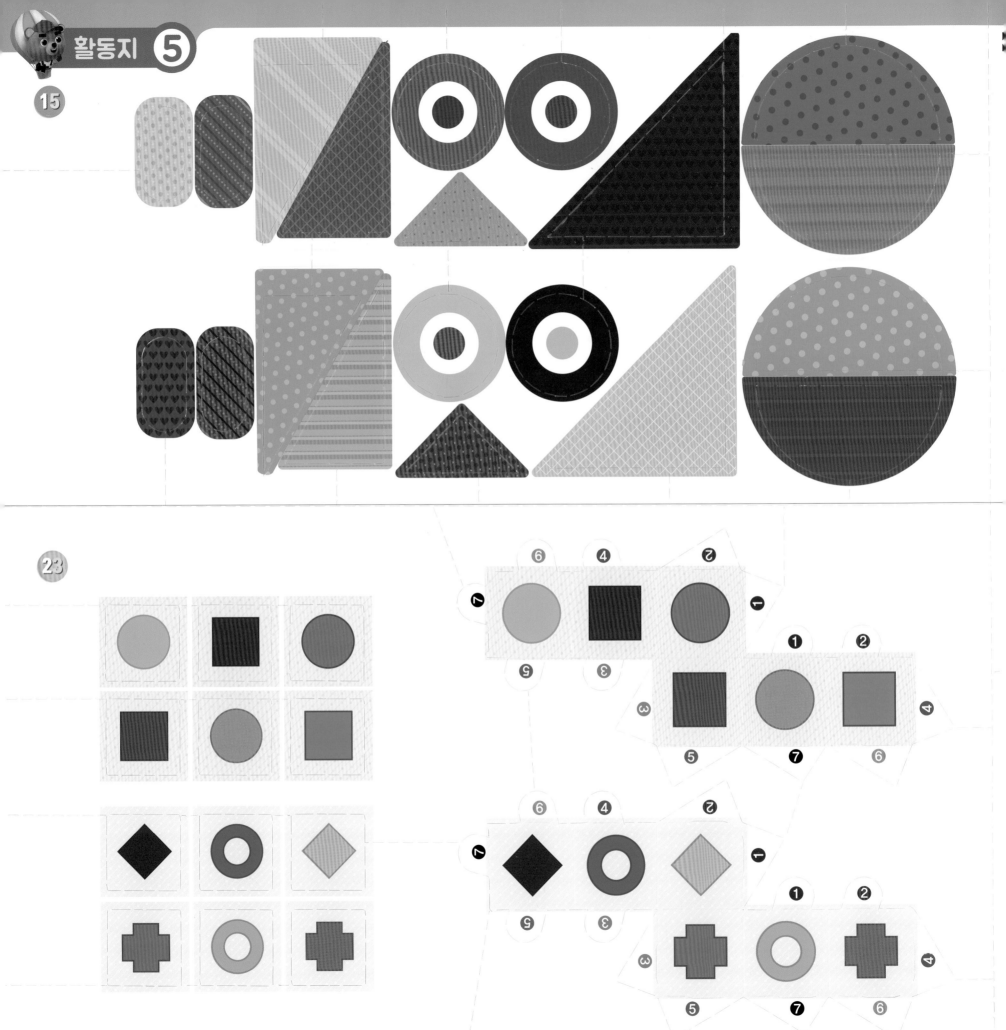

23

13

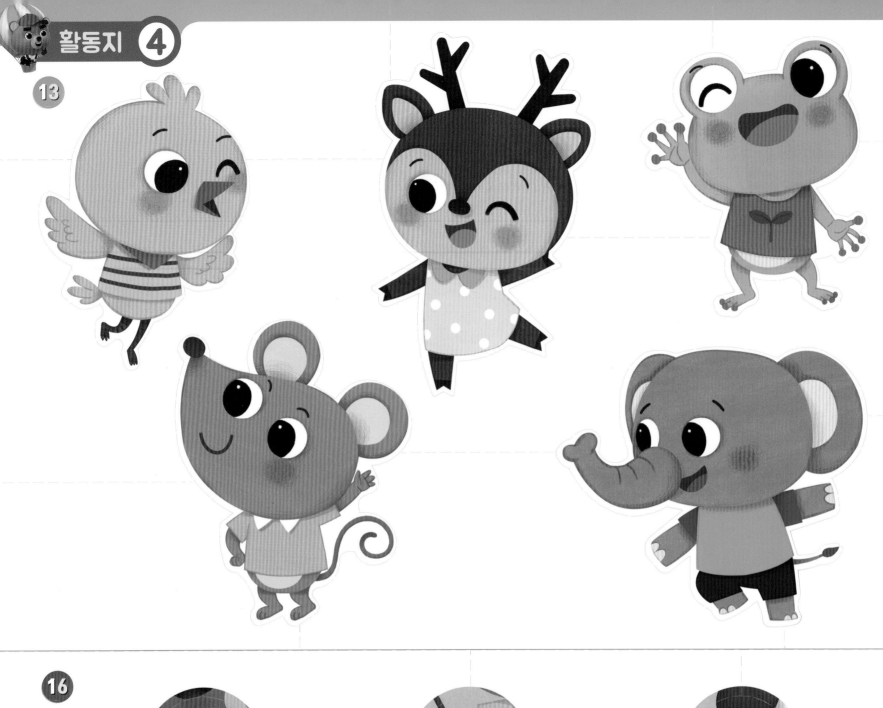

16

11

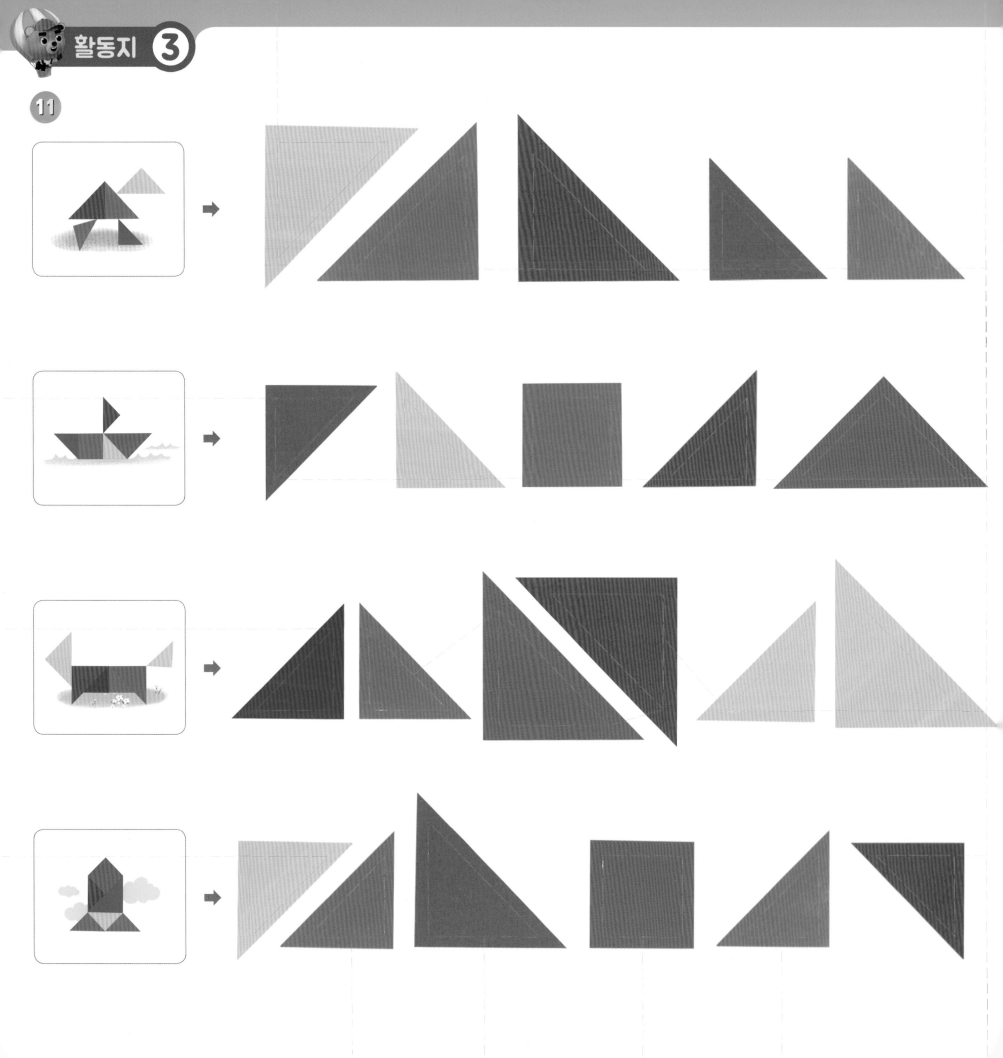

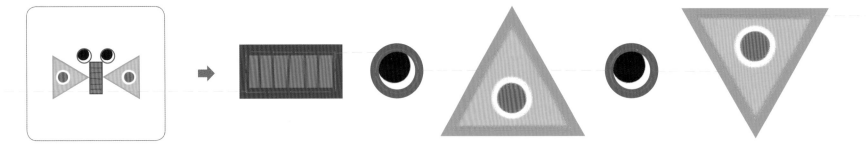

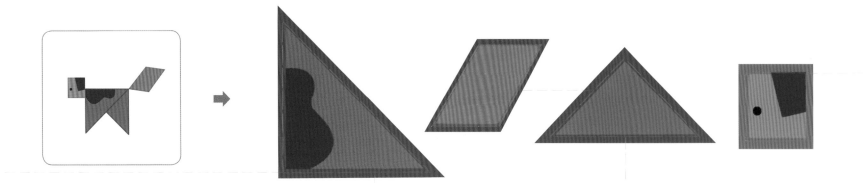

03

07

 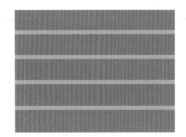 

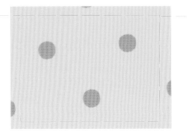  

01

05

21

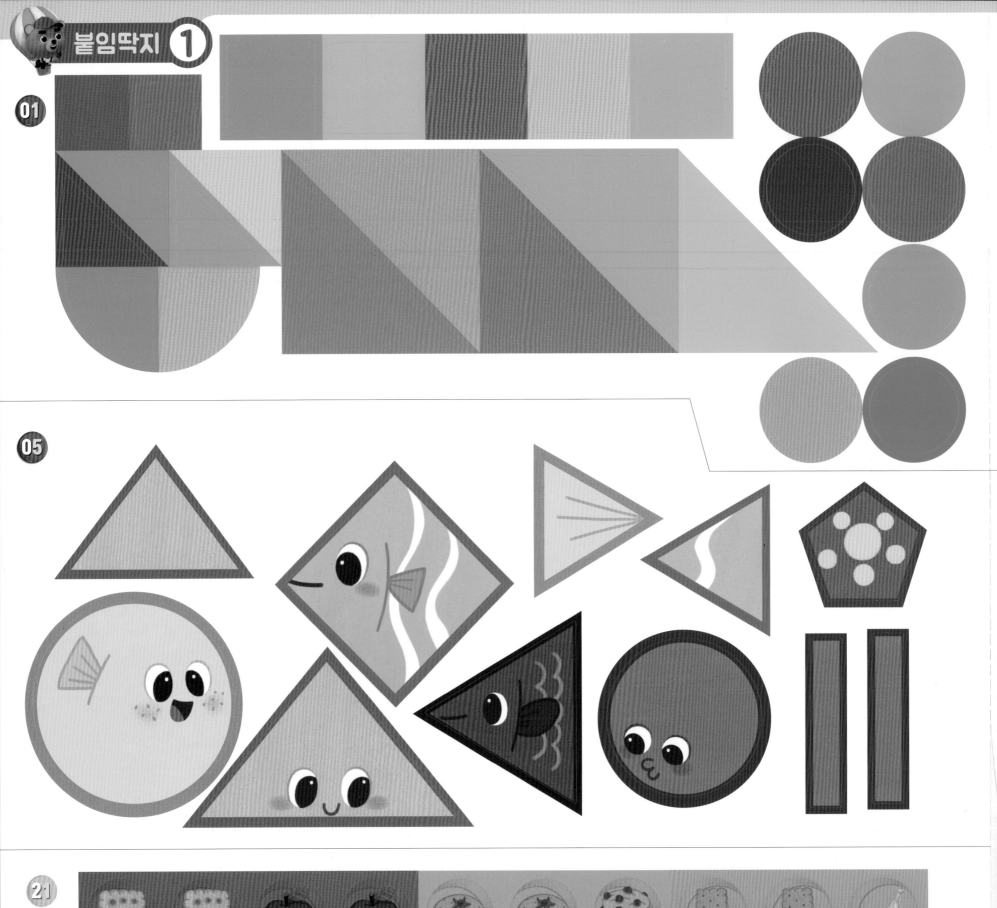
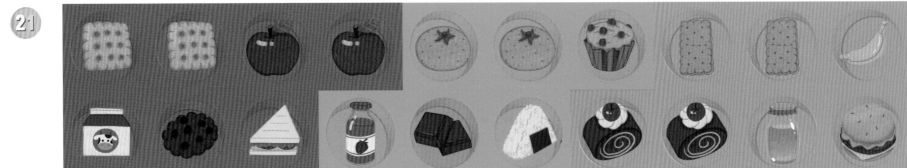

활동지 보관 상자

※ 활동지(카드, 주사위, 칩 등)를 사용한 후 보관 상자에
담아 두었다가 필요할 때마다 사용하세요.

보관방법 1

보관방법 2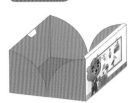

풀칠하는 곳

풀칠하는 곳

매스티안

FACTO

배스티안 다기

배스티안 다기

SHAPES